Le citoyen
dans un cul-de-sac?

John Saul

Le citoyen
dans un cul-de-sac?

Anatomie
d'une société en crise

Éditions Fides

MONTRÉAL

Musée de la civilisation

QUÉBEC

Cette conférence prononcée le 6 octobre 1994 au Musée de la civilisation
inaugurait une série de rencontres-conférences intitulée
La démocratie et le citoyen organisée par le Musée de la civilisation
et le Protecteur du citoyen pour souligner
le 25ᵉ anniversaire de cette institution.

Données de catalogage avant publication (Canada)

Saul, John Ralston, 1947-
Le citoyen dans un cul-de-sac? :
anatomie d'une société en crise
(Les grandes conférences)
Publ. en collab. avec le Musée de la civilisation.

ISBN 2-7621-1877-8

1. Participation politique.
2. Pouvoir (sciences sociales).
3. Civilisation moderne et contemporaine.
4. Communication politique.
5. Science politique – Philosophie.

I. Musée de la civilisation (Québec).
II. Titre.
III. Collection.

JC571.S28   1996   323'.042   C96-940245-7

Dépôt légal: 1ᵉʳ trimestre 1996
Bibliothèque nationale du Québec
© Musée de la civilisation et John Saul, 1996.

Cet ouvrage est distribué par les Éditions Fides,
165, rue Deslauriers, Saint-Laurent H4N 2S4
tél.: 745-4290, télec: 745-4299

Les Éditions Fides bénéficient de l'appui
du Conseil des arts du Canada et
du ministère de la Culture du Québec.

Je suis très sensible à l'honneur que vous me faites en m'invitant à inaugurer cette série de conférences sur la démocratie et le citoyen, et je suis surtout très heureux de célébrer avec vous le 25e anniversaire de l'institution du Protecteur du citoyen.

Je suis aussi très content parce que je sais que la série de conférences a été confiée, au niveau philosophique, à monsieur Jacques Dufresne, philosophe et directeur du journal *L'Agora*. Je trouve sa définition du rôle du citoyen très intéressante et très originale. Très originale si l'on pense à ce que l'on enseigne à l'université aujourd'hui sur l'histoire de la démocratie. J'étais ravi de voir, dans les notes de monsieur Dufresne, qu'il donnait à Solon le rôle clé que l'on doit lui donner, et que les élites ne lui accordent jamais. Je crois qu'une des raisons pour lesquelles on ne lui reconnaît pas ce rôle clé, c'est que Solon a sauvé Athènes il y a 2500 ans, en déchirant les reconnaissances de dettes, pour libérer la ville. Il a cessé d'exister, à ce moment-là, pour toutes les élites qui ont suivi. Ce n'est peut-être pas par accident qu'il y a quelqu'un comme Jacques Dufresne ici ce soir. Je trouve que le Canada — ce lieu bizarre et original (ce sont des compliments!) où nous habitons — est l'endroit où la réflexion sur la démocratie et le citoyen est la plus intéressante en Occident. Et cela n'est pas une petite remarque nationaliste. Si vous regardez à Montréal, il y a des gens comme Alain Chanlat qui repensent les liens entre éthique et pouvoir, et aussi Charles Taylor. Si vous regardez à Toronto, Harold Innis et Marshall McLuhan ont inauguré eux aussi une grande réflexion. Si vous regardez à Vancouver, vous trouvez George Woodcock, le grand anarchiste. Du côté des Provinces maritimes il y avait, jusqu'à récemment, le grand George Grant. C'est une liste assez étonnante de personnes à qui on pourrait attribuer des tendances allant de gauche à droite ou de droite à gauche. Ce sont tous des philosophes du doute; ce sont tous des humanistes et ils ont tous, en cette fin de siècle, une importance internationale. Je terminerai, si vous me le permettez, avec quelques autres raisons qui font que je suis ravi d'être ici: j'ai été éduqué en partie à Montréal. J'ai mis, dans trois de mes romans, des personnages clé qui sortent de Québec ou de Montréal et j'ai aussi pas mal écrit au Québec. J'ai commencé mon premier roman à Montréal, à l'âge de 18 ou 19 ans, et j'ai écrit une grande partie de *Les bâtards de Voltaire* à Tadoussac, un endroit où il est bon d'aller pour écrire. Je me sens tout à fait chez moi ici, dans cette ville, et je crois que c'est le plus grand compliment qu'on puisse faire à une ville lorsqu'on est visiteur.

Démocratie ou corporatisme

Vous m'avez invité pour parler d'une crise. La question que je me pose et que je vous pose est celle-ci: dans quel type de société vivons-nous? Vivons-nous dans une démocratie ou vivons-nous dans une société corporatiste?

Je vais fréquemment utiliser le mot «corporatisme», même s'il est presque tombé dans l'oubli. Je l'emploie dans le sens où il a été utilisé dans les années 1930, par des gens comme Mussolini. À mon avis, nous sommes dans une société qui possède des structures démocratiques et qui est démocratique — mais superficiellement. Le vrai pouvoir de cette société est un pouvoir corporatiste. Et tout le problème est là. «Corporatisme» est un des deux ou trois

9

mots les plus importants de la deuxième moitié du xxe siècle en Occident. Le citoyen, c'est-à-dire nous, sait qu'il vit dans une démocratie qui fonctionne mal. C'est la raison pour laquelle nous sommes mécontents. C'est la raison pour laquelle les politiciens et les technocrates, tant dans le secteur privé que dans le secteur public, ne savent pas comment s'y prendre avec nous parce qu'ils savent que nous ne sommes pas heureux mais que nous sommes mécontents. Y compris une grande partie des citoyens qui composent l'élite, qui sont eux-mêmes mécontents mais qui demeurent silencieux parce qu'ils ne peuvent pas parler. Ces derniers sont donc en même temps victimes et oppresseurs — pour utiliser des mots un peu extrêmes, mais assez clairs.

Devant une telle situation, le citoyen a peu de choix. On doit éviter de se tourner, comme on a tendance à le faire actuellement, vers le faux populisme. On sait très bien que ça va mal se terminer si on continue dans cette direction-là avec des Ross Perot, des Berlusconi qui surgissent un peu partout en Occident. Ni le corporatisme ni les chefs démagogiques ne représentent des solutions. La seule manière de s'en sortir, c'est par la démocratie. Mais comment rendre réelle cette démocratie qui est, en ce moment, à moitié réelle? L'idée que seule la démocratie peut nous sortir de la crise sociale et économique — car nous sommes effectivement en crise, en dépression économique depuis 1973 — n'est pas du tout acceptée par la technocratie privée ou publique. Ce n'est pas une idée qui est dans l'esprit des technocrates. Toutes les actions qu'ils posent, tous les plans qu'ils échafaudent vont dans une autre direction et tendent plutôt au renforcement du corporatisme.

La raison même de notre présence ici ce soir est une illustration de ce problème. Il y a 25 ans, le Québec s'est doté d'un Protecteur du citoyen. D'autres provinces canadiennes et de très nombreux pays ont fait de même. Mais si la démocratie fonctionnait, le Protecteur du citoyen ne serait pas nécessaire puisque son travail est de nous protéger contre notre propre système. Le fait qu'il existe ici, et partout en Occident, est une preuve que nous sommes en crise.

Dans le passé, lorsque les civilisations de l'Occident se sont retrouvées coincées, on s'en est sorti assez souvent par une méthode très simple: on se tourne vers l'arrière, vers notre propre histoire, notre mémoire, 2500 ans (je commence avec Solon, il faut être précis), et on réinterprète cette histoire. Alors on dit: bon, vous avez placé Rousseau là, à gauche, mais on va le déplacer, le mettre peut-être au centre-gauche. Et Burke — vers 1920 on a déplacé Burke. Pourtant, durant 100 ans il était centre-gauche, puis on l'a mis à droite! Il y avait eu un partage des philosophes, en quelque sorte, vers 1920. Un accord entre les marxistes et les fascistes: vous prenez Rousseau, moi je prends Burke, etc.

Alors le pauvre Burke, qui a été l'un des premiers à combattre l'esclavage, à s'être opposé à l'oppression aux Indes, qui a été allié des révolutionnaires américains, mais aussi grand allié des Canadiens français contre ces mêmes Américains qui voulaient supprimer les droits de religion et de langue ici par l'abrogation de l'Acte du Québec — ce pauvre Burke est aujourd'hui emprisonné dans la droite. Il faut le libérer pour qu'il reprenne sa place au centre-gauche!

Donc une des manières de nous en sortir aujourd'hui, c'est effectivement de faire comme on a fait au XVIIIe siècle, c'est-à-dire de regarder notre propre expérience et de la réexaminer pour trouver comment nous avons pris une certaine direction qui nous a conduits dans un cul-de-sac. Si on arrive à repenser le passé, on va se tourner à nouveau vers le futur pour découvrir que le cul-de-sac n'existe plus, parce que nous avons changé notre trajectoire dans l'histoire pour partir dans une autre direction. Voilà pourquoi quand je parle de l'état actuel des choses, je parle beaucoup de l'histoire. Maintenant, je vais vous donner trois interprétations rapides de la manière dont nous sommes arrivés là où nous sommes.

Le mythe homérique

L'état actuel des choses est indissociable de l'histoire occidentale qui commence à Athènes. Jusqu'à l'arrivée de Solon et Socrate, il y avait ce que j'appellerai la dictature du mythe homérique. Le mythe homérique que nous avons tous appris à l'école est en fait basé sur deux idées: les dieux et le destin. On peut être beau, fort, intelligent, mais, finalement, ce sont les dieux et le destin qui vont décider. L'être humain n'est donc qu'un animal sophistiqué, mais sans véritable raison d'être puisqu'il n'a aucun pouvoir de changer sa vie ou la société dans laquelle il vit. L'homme pouvait pleurer et hurler, mais ne pouvait que subir passivement les décision des dieux et du destin. Ce sont ces deux hommes, Solon et Socrate, qui ont cassé la dictature de ce mythe de passivité obligatoire de l'homme — les femmes n'étaient même pas dans l'histoire philosophique à cette époque-là.

Subitement, l'histoire de la civilisation de l'Occident commence parce qu'on a compris qu'on était capable de faire des choses, d'agir, de changer le destin dans les limites du réel. Mais, presque au même moment, une grande opposition prend forme, une opposition qui est toujours présente. C'est l'opposition entre Socrate et Platon. Évidemment, cela semble un peu bizarre puisque Platon a écrit des dialogues dits «socratiques» et, très intelligent, a tout fait pour contrôler Socrate en l'interprétant à sa manière. Mais il n'y est pas tout à fait arrivé. On enseigne aujourd'hui dans toutes les HEC, dans toutes les grandes écoles d'administration et en général dans toutes les universités que Socrate était d'accord avec Platon, mais c'est faux. Ils étaient opposés l'un à l'autre. S'il y a des traces de cette opposition dans les textes, c'est que Platon ne pouvait pas entièrement mentir. Pourquoi? Entre autres parce qu'il y avait des témoins encore en vie au moment où il écrivait Socrate.

Mais quelle est cette opposition et de quelle nature est-elle? D'un côté, il y a Socrate l'emmerdeur, qui va dans les marchés tous les jours poser des questions pour embêter les citoyens. Il imagine une société humaniste qui inclut tous les citoyens. C'est une idée où le citoyen est au centre, où le doute est au centre, où le débat est au centre. Et puis, il y a Platon, exclusif, élitiste, plein de mépris pour le citoyen. En bref, il préconise une société autoritaire administrée par une élite parce que le citoyen est trop bête. Je simplifie grossièrement. Mais il y a néanmoins cette opposition. Et, à travers notre histoire, on se retrouve continuellement dans ces mêmes batailles. Actuellement, les platoniciens sont au pouvoir. Et le combat d'aujourd'hui, Socrate contre Platon, c'est la démocratie contre le corporatisme.

Humanisme et équilibre

Deuxième regard sur l'histoire: l'humanisme. Pour moi, l'humanisme, c'est l'équilibre. Mais quelle interprétation en donne-t-on à l'université? On y réduit l'humanisme à l'intérêt porté par les intellectuels de la Renaissance aux textes classiques grecs et latins. Voilà une interprétation complètement sclérosée, c'est-à-dire scolastique. Évidemment, il y a un élément de vérité dans cette approche. Mais pourquoi les intellectuels de la Renaissance voulaient-ils examiner les textes classiques? Ce n'était pas une expression de nostalgie ou de passéisme. Ils s'y sont intéressés pour réinterpréter le passé, pour se libérer de la prison intellectuelle du Moyen Âge. L'idée de base de

15

l'humanisme, c'est de trouver comment libérer les qualités du citoyen. J'ai une formule que vous avez peut-être déjà entendue, mais je vais la répéter, qui est — grosso modo — que nous possédons six qualités (il y a des listes différentes dans l'histoire mais enfin on arrive plus ou moins à la même chose). Ces six qualités sont: la raison, évidemment, le sens commun, l'intuition, la mémoire, la créativité et l'éthique.

Imaginez ces qualités comme une sorte d'atome à six pointes maintenues en équilibre par leurs propres oppositions et vous obtenez l'image de l'être humain qui exploite ses capacités au maximum. On a la mémoire, on sait ce qu'on a fait, on ne va pas répéter les mêmes erreurs; on a le sens commun, on sait *grosso modo* comment faire les choses; on a la raison, on sait comment s'organiser; on a l'éthique, on sait ce qu'il ne faut pas faire; on a l'intuition, on sait qu'il faut agir un peu par là et pas du tout par ici. Et la créativité, parce que c'est avec la créativité que la civilisation avance. Le progrès est un produit de la créativité, que ce soit dans l'art, dans les affaires ou dans le gouvernement. Malheureusement, notre passé est rempli de groupes ou de gens qui viennent nous dire: «Votre histoire d'équilibre et de multiples qualités, c'est beaucoup trop compliqué. On a une solution beaucoup plus simple, on va mettre l'éthique au pouvoir, toute seule.» Et ça aboutit à une dictature d'éthique, c'est-à-dire l'Église. Évidemment, ça entraîne un déséquilibre total parce qu'il n'y a qu'une seule qualité humaine en jeu et ça débouche sur une société immorale. On vend des billets d'entrée au paradis et on brûle des innocents pour des petites questions de dogme. En revanche, si vous mettez la mémoire seule au pouvoir, les rois arrivent en disant: «Moi, je suis au pouvoir parce que mon père était au pouvoir, parce que son père était au pouvoir, parce que Dieu a dit qu'il devait être au pouvoir, et voilà!»

Depuis le XVIIIe siècle, c'est la raison qui est au pouvoir, c'est-à-dire une dictature des structures et des méthodes. Et, comme nous le savons, la raison toute seule au pouvoir finit dans l'irrationalité totale. C'est à peu près là où nous en sommes arrivés en cette deuxième moitié du XXe siècle.

Alors, il y a des gens qui me disent: c'est un peu idéaliste, votre idée d'humanisme équilibré. On ne peut jamais en arriver là. Mais c'est évident qu'on ne peut jamais en arriver là. Le problème, c'est qu'on ne peut pas faire fonctionner une société basée sur une seule qualité humaine. Alors, va-t-on essayer d'aller vers un équilibre qu'on ne peut pas atteindre, en comptant en cours de route utiliser le maximum de nos qualités? Ou va-t-on partir sur un chemin étroit, unidimensionnel où on sait que ça va mal se terminer? Je ne suis pas un cynique. Il faut, bien entendu, tendre vers l'équilibre.

Réalité, débat, décision, gérance

Dans notre société, l'action comporte quatre étapes. Première étape: la réalité; la réalité d'une crise économique ou d'une guerre, par exemple. Deuxième étape: la société humaine considère la réalité et cet examen engendre le doute qui vient lui-même nourrir le débat. C'est d'ailleurs là que nous sommes au plus fort de nos qualités humaines. Troisième étape: ayant considéré la réalité, on décide. Quatrième étape: ayant décidé, on gère la décision.

Aujourd'hui, notre civilisation est obsédée par les deux dernières étapes. On est obsédé par le choix des chefs décisifs (Brian Mulroney disait toujours *tough* je crois) et on est en train d'éduquer la quasi-totalité de notre élite pour en faire des gestionnaires.

Pourtant, dans les faits, une seule de ces quatre étapes est vraiment importante: la deuxième, celle de la considération, du doute, du débat. Si vous avez bien considéré la situation, n'importe quel idiot peut décider. Et, de toute manière, il n'y a pas une solution, il y a deux, trois, quatre solutions. On en essaie une, ça ne marche pas, on essaie de comprendre (encore de la considération) pourquoi ça n'a pas marché. On en essaie une deuxième, etc. La quatrième étape — celle où il faut gérer — est la moins importante. Il faut gérer mais, comme vous le savez, le mot anglais *manager* vient du français «ménagère», nettoyer la maison. Je ne suis pas contre le nettoyage des maisons. C'est un très bon travail. Mais l'idée que nous avons passé 2500 ans à créer la plus grande élite de l'histoire du monde, la plus sophistiquée, la plus éduquée, pour nettoyer la maison prouve que nous sommes plongés dans un état de confusion assez sérieux. Ayant mis toute l'emphase sur les deux dernières étapes — la décision et la gérance — on ignore celle qui compte le plus: le doute, le débat, la considération. Et c'est pour cette raison que l'on n'arrive pas à prendre de directions intéressantes.

Résultat: ayant trop misé sur la seule raison, nous avons construit une société obsédée par la spécialisation. Une société de milliers et de milliers de groupes de spécialistes, au niveau public, privé, et même dans le domaine du bénévolat. Tout le monde est spécialiste, tout le monde appartient à un groupe. Le citoyen devient membre de ce groupe à partir du moment où il monte dans la bourgeoisie. Statistiques Canada nous dit qu'environ 31% de la population fait partie de l'élite administrative. Lorsqu'un tiers de la population fait partie de cette administration, publique ou privée, nous devenons prisonniers. Parler librement, en public, en tant qu'individu, devient très difficile. Notre seule possibilité d'avoir un peu de pouvoir, c'est de l'exercer à l'intérieur de notre groupe. Donc, on n'est plus citoyen, on devient quelque chose d'autre. Que devient-on? On devient membre du groupe, on devient, comme au XVIIIᵉ siècle, courtisan. Je crois que nous sommes dans une société qui admire énormément les qualités du courtisan et de la courtisane. Dans l'espoir de réussir sa carrière, chacun de nous (même les écrivains) est forcé d'agir comme un courtisan, courtisan de cour ou encore jésuite. Il en résulte une montée du cynisme chez les membres de l'élite car on sait très bien que les courtisans sont toujours cyniques. Le discours de l'élite des deux dernières décennies est teinté d'un énorme cynisme, au sujet de ce qu'on peut faire, au sujet de la démocratie, au sujet des citoyens. C'est le même cynisme que l'on trouvait à la cour de Louis XV ou de Louis XVI.

La deuxième chose que vous trouvez dans ce discours, c'est une montée de la rhétorique. Rhétorique comme au Moyen Âge, comme avec les scolastiques, afin d'éviter les débats. Le courtisan, la citoyenne qui appartient à un groupe, est obsédé par le fait qu'il ou elle n'a aucun pouvoir réel de citoyen. Alors comment se donner un peu de pouvoir? Une des manières de le faire, évidemment, c'est de retenir des renseignements qui passent par votre bureau, votre vie, votre fonction à l'intérieur de structures. Ce qui fait qu'on assiste à une montée du secret étonnante, au XXᵉ siècle.

Le règne du secret

Chaque année, le gouvernement des États-Unis crée sept millions de nouveaux secrets. Il y a trois millions et demi de citoyens américains qui ont, à des niveaux différents, des privilèges d'accès aux secrets. Quels sont tous ces secrets qui n'en sont pas vraiment? Par tuelle. L'obsession du secret est une des caractéristiques d'une économie qui *gère*, alors qu'il faut *faire*.

Les dialectes

L'autre manière de s'approprier du pouvoir, c'est par le dialecte. Les spécialistes, les technocrates, privés et publics, ont trouvé un certain pouvoir en créant, dans chaque domaine, des dialectes que les non-initiés ne peuvent comprendre. C'est un pouvoir réel. Eux savent de quoi ils parlent et vous ne savez pas. Cela signifie que vous ne pouvez pas avoir avec eux un débat sur leur sujet de spécialisation. Les dialectes sont de fausses langues inventées afin d'éviter la communication, alors que la seule raison d'être d'une langue est précisément d'assurer la communication. Et, en Occident, cela est d'autant plus important qu'à la différence d'autres civilisations (je pense à l'Asie que je connais un peu), la langue est l'outil central de notre culture. On ne peut pas faire, en Occident, ce qu'on ne peut pas dire. On peut à peine penser ce qu'on ne peut pas dire. Nous travaillons vraiment en Occident autour de la langue et, aujourd'hui, la langue est bloquée. Dans nos vrais débats, il y a un grand silence. Je prends l'exemple classique: l'énergie nucléaire. Depuis 1945, l'Occident s'est lancé dans l'énergie nucléaire. J'ai des opinions là-dessus, mais je ne suis pas ici pour ça. Il s'agissait d'une décision très, très importante, pourtant on n'a jamais eu de débat là-dessus. C'est une des décisions les plus importantes de l'histoire de l'humanité et on n'a pas eu de débat public. Et quand nous essayons d'avoir un débat, il y a un énorme silence: celui des experts nucléaires.

Chaque fois que nous voulons un débat sur un sujet, que ce soit les déchets agricoles ou le cancer, il y a un flot de mots de la part d'un public inquiet, et puis un silence. Et le silence vient précisément du groupe spécialisé sur le sujet. Donc, nous ne pouvons pas avoir un débat. On a créé toute une élite pour nous aider, pour nous conseiller dans les débats publics humanistes et, en fait, leur travail, maintenant, est d'éviter ce débat. Ce silence des experts est, en partie, le résultat de nos obsessions contractuelles. Vous signez un contrat pour aller travailler quelque part et vous perdez votre droit de parler librement, en particulier dans votre domaine d'expertise. Vos connaissances et vos opinions sur vos connaissances appartiennent à votre employeur. Voilà qui est très intéressant, surtout si on compare à l'exonération des dettes de Solon. Il y a 2500 ans, les Athéniens avaient

27

pas de parler des pouvoirs. On ne parle que des pouvoirs. On ne parle jamais des contenus des pouvoirs ou de la raison d'être des pouvoirs. C'est la même chose dans tous les pays, à tous les niveaux, parce que le pouvoir est la seule récompense que l'on peut gagner dans une société corporatiste.

C'est comme s'il y avait, dans notre société, des milliers et des milliers de pyramides opaques de l'extérieur. À l'intérieur, il y a une structure pyramidale (ce n'est pas du tout démocratique à l'intérieur). Il n'y a pas de débat, par exemple, à l'intérieur des pyramides nucléaires, médicales. Il y a un processus de niveau, du bas jusqu'en haut. Un processus d'experts. Ces milliers de pyramides sont toutes là dans la plaine de notre civilisation, comme des volcans. Ces volcans opaques, de temps en temps, crachent un peu de fumée ou de rochers; et puis les gens dont le travail est de regarder dehors disent: «Ah! Regardez! Vous avez vu? La pyramide-volcan nucléaire dit qu'il faut faire ceci ou cela.» Mais on ne sait pas pourquoi faire ceci ou cela. On connaît simplement la solution sans connaître le problème. On ne connaît pas le débat. Il n'y a pas de débat, il y a simplement un diktat d'experts.

Austérité et rêve

Voici maintenant un exemple du décalage qui existe entre notre système et notre réalité. Il s'agit d'un exemple où le Canada est en première ligne. D'un côté, nos gouvernements et nos élites du monde des affaires nous disent que nous ne travaillons pas assez, que nous ne sommes pas assez compétitifs à l'échelle globale. Il faut travailler plus, il faut être plus compétitifs, il faut qu'il y ait une rééducation sérieuse car la vie est dure, il faut être réaliste, n'est-ce-pas? D'un autre côté, ces mêmes gouvernements, ces mêmes élites essaient de financer l'État par les jeux, par la loterie. Le phénomène date des années 1970. Maintenant les citoyens, encouragés par leurs représentants, dépensent. Ils dépensent des centaines de millions de dollars pour rêver. Rêver qu'on peut s'échapper, rêver qu'on n'a pas besoin de travailler, rêver qu'on va gagner cinq millions. Et maintenant, les gouvernements vont plus loin: ils vont ouvrir des casinos un peu partout. Mais il y a une contradiction totale et absolue entre ces deux discours. En Birmanie, il y avait une vieille tradition qui voulait que, lorsqu'un roi commençait à chercher à financer l'État à travers les loteries, cela indiquait que la dynastie allait tomber d'ici cinq ans. Pour une raison très

31

simple: il avait complètement oublié pourquoi il était là, soit pour servir la structure d'une civilisation dans laquelle il y a des êtres humains. Il commençait à avoir un tel mépris pour le citoyen qu'il pensait qu'il pouvait financer l'État en traitant le citoyen de rêveur et d'idiot. C'est exactement ce qui se passe dans notre civilisation.

Je vais maintenant proposer un exemple plus large. Une des justifications pour ces loteries est que nous sommes dans une impasse dans le domaine de l'impôt gouvernemental. Une impasse qui dure, ou plutôt qui s'aggrave depuis un quart de siècle. Cette impasse a été créée lentement, graduellement, par ce qu'on appelle la mondialisation. C'est-à-dire que vous ne pouvez pas faire payer des impôts aux grandes sociétés, car si vous le faites, elles partent. Le résultat est que, par exemple au Canada, la part des impôts des grandes sociétés est tombée de 35% à 17% environ des impôts globaux. Il fallait donc combler la différence; on s'est alors tourné vers les riches. Les riches ont dit: «nous aussi, on part». On s'est tourné vers la bourgeoisie, mais même si la bourgeoisie payait 100% de ce qu'elle gagne, ce ne serait pas suffisant pour financer l'État. Alors on s'est tourné vers les taxes directes à la consommation (la TPS) et les taxes sur les rêves (les loteries). La loterie est une marque de mépris envers le citoyen, et avec la TPS on sombre dans le ridicule. La TPS est une tentative de financer des États, qui ont besoin de dizaines de milliards de dollars, en prenant un pourcentage sur les dépenses commerciales de tout un chacun. Mais ces dépenses ne représentent qu'un petit pourcentage des vraies richesses de notre économie et ne peuvent pas financer l'État. De plus, l'administration d'une telle taxe est très lourde, pour le gouvernement et pour le contribuable. Tout ce travail administratif est non productif. Les taxes généralisées sur la consommation sont des taxes inflationnistes.

Je n'attaque pas ici les impôts. Il faut financer l'État et les services. J'attaque l'élite qui nous a dit que la mondialisation, c'était bien. Par exemple, dans ce qu'on a appelé le débat du *libre-échange* (qui n'était pas du tout un débat sur le libre-échange mais un débat sur la mondialisation), la plupart des élites canadiennes, et parmi elles la quasi-totalité des élites québécoises, étaient *pour*. Mais en étant *pour*, ces élites ne semblaient pas savoir que le résultat direct serait l'impossibilité de financer les opérations fédérales et provinciales. Alors, pourquoi être *pour*? Les élites étaient *pour* pour plusieurs raisons, mais la raison essentielle est qu'elles n'arrivent pas à voir correctement la réalité car elles baignent dans une idéologie, et cette idéologie est une idéologie de structure, de raison, de méthode, dans laquelle il n'y a pas de contenu et dans laquelle il n'y a pas le contrepoids du citoyen, avec ses qualités propres. Donc, je ne suis pas contre la mondialisation. Je suis contre une mondialisation idéologique, c'est-à-dire aveugle, bête et autodestructive.

Le contrat

Je viens de parler longuement d'une tendance propre au corporatisme. La déformation de l'idée saine de l'administration. Il en existe une deuxième: la déformation de la notion du contrat.

La Grande Charte (1215) était un contrat, mais c'était un contrat moral, ou un contrat social, un contrat qui contenait l'idée que l'être humain vaut quelque chose. Ce n'était pas un contrat d'intérêt. Aujourd'hui, on enseigne, dans la plupart de nos écoles, que la démocratie est née aux XVIIIe et XIXe siècles, comme résultante de la création d'une bourgeoisie qui serait le produit de la révolution industrielle. Selon ce point de vue, le capitalisme aurait engendré la démocratie. Cette idée est complètement fausse et n'a absolument pas sa place dans l'histoire de la philosophie et de la démocratie. Cette thèse a confondu deux sortes de contrats: le contrat moral, humaniste, dans lequel il y a des êtres humains, et le contrat d'intérêt, le contrat commercial.

Ce qui fait qu'aujourd'hui on continue de penser qu'on peut réduire la démocratie à une série de contrats d'intérêts, c'est-à-dire à un grand contrat commercial. Cette idée est complètement amorale — pas immorale, mais amorale! Elle ne contient aucune éthique. En fait, il n'y a pas de contenu. Il s'agit simplement d'une méthode de négociation, une manière de conclure des accords. Si vous réduisez la démocratie au contrat, vous n'avez pas de démocratie et vous n'avez pas de droits de l'Homme; vous n'avez que des négociations entre divers intérêts.

La vogue actuelle de l'idée du vulgaire contrat veut dire que Hobbes, un de mes philosophes les moins préférés, a gagné. Hobbes a dit que nous — les êtres humains — n'étions que des gens détestables et que la seule manière de nous gérer était de nous faire peur et de nous maintenir à notre place par des liens concrets, c'est-à-dire des contrats légaux. C'est précisément ce qui est en train de se passer. Nous sommes tous, dans l'esprit de Hobbes, des criminels potentiels. Il faut donc nous faire peur, tout nous imposer de façon à ce que l'être humain reste dans cet état de passivité dont j'ai déjà parlé.

Après 2500 ans, notre élite est en train de nous dire que finalement, on s'est trompé. Que Solon et Socrate se sont trompés et qu'Homère avait raison. Le marché et les structures contractuelles ont remplacé les dieux et le destin. Mais cet argument me semble quand même curieux. Si nous avons passé 2500 ans à créer cette élite, il me semble qu'elle n'a pa le droit de dire: «Finalement, on va garder notre place, mais pas du tout dans les conditions que vous avez imaginées. Vous, les citoyens, vous devez rester passifs, et nous, nous allons gérer l'inévitable.» Il me semble que c'est plutôt eux qui sont en train de rater leur travail, le travail pour lequel on les a mis en place, pour lequel on a créé cette structure.

Nous ne pouvons accepter la violence de Hobbes, pas plus que la passivité et la domination du contrat. Car il y a une éthique et un équilibre tout à fait normaux dans notre société. Prenons un exemple très simple, le genre d'exemple qu'on utilisait beaucoup au XVIIIᵉ siècle: vous marchez dans la rue, à Québec; il est cinq heures et demie un jeudi soir, le trafic est intense, il neige, le trottoir n'est pas très large, et une vieille dame fragile avance vers vous. Deux possibilités s'offrent à vous: vous pouvez contourner cette personne ou vous pouvez la pousser au bas du trottoir, dans le trafic où elle sera tuée. Il est beaucoup plus facile de la pousser dans le trafic, personne ne vous verra, vous n'avez pas besoin de faire un grand geste. Comme ça, et elle est partie...

Il y a quatre catégories d'êtres humains: la première catégorie va pousser la vieille dame, ce sont les criminels professionnels ou les fous; la deuxième a envie de la pousser, mais ne le fera pas de peur d'être attrapée. La conviction de Hobbes s'appuie sur l'existence de ces groupes même s'ils ne forment que 1% à 2% de la population. Il existe une troisième catégorie, dont des philosophes comme Hobbes font partie et qui disent que nous voulons tous la pousser. Personnellement, je crois que le philosophe qui pense que tous les citoyens voudraient pousser la vieille dame dans le trafic est quelqu'un qui voudrait lui-même le faire! Il projette donc ses propres tendances sur les autres. Enfin, ceux de la quatrième catégorie, qui représentent 95% à 98% de la population, ne vont même pas penser à pousser cette vieille dame dans le trafic. Ces gens vont tout simplement la contourner et dire «Bonsoir madame». Ce qui veut dire que

Hobbes avait totalement tort, mais que notre société est organisée comme si Hobbes avait totalement raison.

Nous vivons dans une société de contrat et de calcul, de structure et de pouvoir. Nous oublions deux choses essentielles: nous oublions que l'obligation principale de la majorité, dans une démocratie, c'est de s'occuper de la minorité. Ce que je viens de dire peut sembler un peu facile, mais ce n'est pas facile du tout. Nous savons très bien ce que cela veut dire. Cela veut dire qu'après avoir gagné une élection, votre première obligation est de vous occuper des gens qui l'ont perdue. Donc ce n'est pas une question de contrat. Ce n'est pas une question de prendre le pouvoir pour utiliser le pouvoir. C'est une question de prendre le pouvoir pour ne pas l'utiliser contre les autres. Ça, c'est la démocratie! Ça, c'est de l'humanisme! Ce n'est pas idéaliste, c'est pratique, car une société ne peut pas fonctionner si chacun s'empare du pouvoir simplement pour l'imposer aux autres. Dans ce sens, le pouvoir est autolimitant.

On oublie aussi que la vraie définition de l'individualisme, c'est l'obligation de participer à la société. Parce que si vous n'êtes pas actif dans la société, vous n'êtes pas un citoyen. Et l'idée du citoyen est à la base même de l'individualisme occidental. Vous ne pouvez pas être individuel dans une civilisation si vous n'arrivez pas à participer. Nous avons vu que notre société n'encourage pas notre participation. Mais si on veut s'en sortir, on va s'en sortir parce qu'on trouvera une manière de participer.

En route, il faudra se montrer vigilants car, depuis dix ans, on assiste à la montée d'un phénomène qu'on appelle la démocratie directe. C'est un mouvement profondément antidémocratique qui essaie de nous envoyer dans une direction autoritaire. Au lieu d'avoir des débats, on aura des conversations directes entre sept ou 25 ou 300 millions de personnes. C'est-à-dire une conversation qui ne peut pas véritablement exister. On retournera donc à la situation où quelques individus détiennent le vrai pouvoir, où quelques petits groupes peuvent manipuler l'ensemble de la communauté grâce à leur main mise sur la communication.

La véritable démocratie, c'est contradictoire, c'est peu efficace, c'est plein de dédoublement, et plus elle est grande, plus elle est décentralisée, et longue, et complexe et, donc, intéressante.

Nous voyons que nos élites ne comprennent pas. Regardez ce qui vient de se passer au Québec dans les médias avec la disparition de radios essentielles. Ce n'est que le 30e chapitre dans l'histoire de la concentration des médias. En dépit de tous ses défauts, c'est un des rares endroits où nous pouvons espérer une conversation publique. Beaucoup de défauts mais, au moins, c'était là. Aujourd'hui, les médias sont entre les mains de cinq, six, sept groupes. Il serait donc naïf de notre part de croire que nous pouvons avoir une telle conversation.

Éducation et participation

Je vais terminer par deux suggestions tout à fait terre à terre pour montrer que ce n'est pas par les grandes idées abstraites qu'on va s'en sortir. On s'en sortira, à mon avis, par de petites actions tout à fait concrètes, qui font appel à l'intelligence et à l'équilibre du citoyen.

La première, c'est l'éducation publique. Le premier outil de la démocratie est l'éducation publique. Si vous avez une éducation populaire qui marche, qui est forte, vous avez la possibilité d'avoir une démocratie. Ce n'est pas l'éducation des élites qui est intéressante. Les élites vont toujours s'éduquer. Ce n'est pas un problème. Toutes les ressources financières sont consacrées à la création de gens de grande qualité. Harvard est peut-être la meilleure université du monde, mais les États-Unis sont en catastrophe: les gens de Harvard n'arrivent pas à avoir un impact sur cette société. Pourquoi? Parce qu'ils n'ont pas de système d'éducation public qui marche dans leur pays. Leur système est en dégénérescence totale.

Il faudrait vraiment que l'accent soit mis sur les huit, douze premières années d'école en y consacrant le maximum d'argent, de professeurs, d'efforts. Il n'y a rien de plus facile dans une société que de créer une élite. Si on coupe les têtes de l'élite aujourd'hui, demain elles auront repoussé. Ce n'est pas un problème. Il est beaucoup plus difficile de créer une population éduquée, avertie, apte à participer. C'est vraiment un défi, et sans une telle population, la démocratie ne peut pas exister.

Comment encourager la participation, alors? Nous vivons dans une société très structurée. Regardez: la plupart d'entre vous travaillez quarante heures par semaine; vous avez droit à un certain nombre de semaines de vacances; à la naissance d'un bébé, vous bénéficiez d'un congé; si vous êtes malade également. Tout est organisé. À la fin de la journée, il reste juste assez de temps pour rentrer chez vous, manger, faire l'amour, dormir et retourner au bureau. Chacune des heures de la semaine est organisée, structurée.

Mais si nous sommes en démocratie, il y a quelque chose de bizarre. Il y a quelque chose qui manque! On est tellement efficace, tellement organisé, structuré, mais il n'y a pas une minute, à part les quelques heures tous les quatre ans pour aller voter, il n'y a pas une minute structurée pour que le citoyen puisse participer. Dans le système actuel, pour que le citoyen puisse participer, il faudrait qu'il cesse de dormir, de faire l'amour ou de travailler. Il faut laisser tomber quelque chose de structuré pour pouvoir participer à titre de citoyen.

Je pose alors une question simple: si on a créé cette élite administrative tellement brillante, pourquoi ne veut-elle pas prévoir deux, trois, quatre heures par semaine que les citoyens consacreraient à la participation? Ce n'est pas si compliqué que cela. Même en suivant leur propre méthode. Il suffirait de nommer quelqu'un comme le Protecteur du citoyen, par exemple, qui est neutre, apolitique. Il définirait, avec l'aide des gens désintéressés, en quoi consiste la participation. On ouvrirait un registre, les gens viendraient y enregistrer les organisations auxquelles ils veulent participer: les partis politiques, les gens atteints du sida, les enfants pauvres, les veuves riches... Ainsi on se retrouverait avec une liste de plusieurs milliers d'organisations. Les gens indiqueraient à leur bureau à quel groupe ils appartiennent et ils pourraient quitter leur bureau pour donner leurs heures et accomplir leur travail de citoyen.

Imaginez! Athènes, 40 000 citoyens: 7000 qui participaient — qui ne se contentaient pas de voter, ils participaient —, c'est-à-dire 17,5 % de la population. Imaginez qu'une même proportion de notre population consacre quatre heures par semaine à la participation démocratique! Cela serait une révolution extraordinaire, cela changerait totalement notre société. Cela serait une ouverture.

Collection GRANDES CONFÉRENCES

Créée par le Musée de la civilisation à Québec, la collection «Grandes conférences» regroupe également des textes de conférences prononcées en d'autres lieux (voir dans la liste qui suit les titres marqués d'un astérisque).

ROLAND ARPIN
Une école centrée sur l'essentiel *

BERTRAND BLANCHET
Quelques perspectives pour
le Québec de l'an 2000

PIERRE DANSEREAU
L'envers et l'endroit.
Le désir, le besoin et la capacité

JOËL DE ROSNAY
L'écologie et la vulgarisation scientifique.
De l'égocitoyen à l'écocitoyen

JACQUES T. GODBOUT
Le langage du don

GISÈLE HALIMI
Droits des hommes et droits des femmes.
Une autre démocratie